DZIKIE ZWIERZENIA

i inne zdarzenia

Spis treści

Kawoszka

Żaba siedząc na tapczanie,
piła **kawę** na śniadanie,
bo twierdziła, że nie może,
żyć bez kawy o tej porze.

Wypijając napój duszkiem z filiżanki z małym uszkiem,

Już sam zapach powoduje,
że się znacznie lepiej czuję,
a że mam ciśnienie słabe,
pijam tylko mocną **kawę**.

żaba głośno rechotała:
– Kawa to rzecz doskonała!

Pojechała do Londynu,
by odwiedzić swoich synów
(wykształconych hydraulików)
i popatrzeć na Anglików.

Zachwycona Wyspą z rana,
prędko siada do śniadania
w restauracji hotelowej,
widząc z okna dom królowej.

Kelner schludny, dość wyniosły,
przyniósł jajka, bekon, tosty,
dżem i tacę z dużym dzbankiem
oraz małą filiżankę.

Żaba z dzbanka napój wlewa
po czym krzyczy: – Wielkie nieba!
Co to jest? – kelnera woła –
Chciałam **kawę**, a nie zioła!
Nie chcę świństwa tego pić!
Na co kelner: – 𝕴𝖙'𝖘 𝖞𝖔𝖚𝖗 𝖙𝖊𝖆.

- Słucham?! - krzyczy roztrzęsiona -
Przynieś kawę mi, bo skonam.
Nie herbata, ale kawa
mnie na nogi zawsze stawia!

Kelner w tył wykonał zwrot
I wyszeptał: — **Oh, my God...**
Od zarania, jak świat światem,
w Anglii pija się herbatę.

Taki zwyczaj tu panuje,
każdy w Anglii go szanuje.
Jak na kogoś, kto ma skonać,
bardzo pani ożywiona.

- Nonsens! - żaba się wydziera -
Czy nie widzisz, że umieram?!

I choć synów spotkać miała,
migiem z Anglii wyleciała,
zostawiając informację,
że wyjeżdża na plantację.

- Moja noga nie postanie
w kraju, w którym się podaje
dzban herbaty zamiast kawy.
Nie pozwolę im drwić z żaby!

Do Brazylii poleciała,
na plantacji zamieszkała.
Wśród kawowców wypoczywa,
czuje się jak w wodzie ryba,

Po czym w górę podskoczyła, prędko

bo już zawsze, wstając z rana,

pije **kawę** do śniadania.

hotel opuściła.

Modne pudle

Czarny pudel z pudlem białym
otworzyły butik mały.
Sprzedawały modną odzież,
znały bowiem się na modzie.

Przyszedł kiedyś jamnik z bratem –
elegancki, pod krawatem.
Chciał zakupić strój sportowy
oraz płaszczyk welurowy.

– Welur jest już przestarzały!

– pudle zgodnie zaszczekały.
Teraz się kimona nosi,
szyją je przepięknie Włosi.

Innym razem przyszedł seter
kupić żonie ciepły sweter.
Pudle na to: – Co za bzdura!

Modne są wyłącznie pióra!

Proszę nabyć tę sukienkę,
ma w rękawy pióra wpięte.

Może pan też kupić woal,
żona będzie zachwycona!

Wpadł przypadkiem mops z buldogiem,
miny mieli dosyć srogie.
Buldog szczeknął: – My po spodnie:
czarne, tanie i wygodne.

– Czarne? – pudle się zdziwiły
– Czarne rzeczy się przeżyły.
Trzeba bawić się kolorem,
noście tylko spodnie z wzorem!

Warknął buldog: **– DOSYĆ TEGO!**
Sam pan czarny jest, kolego!
I ze sklepu się wynieśli –
nigdy więcej tam nie weszli.

W miejskiej prasie napisano,
aby sklep ten omijano:

Odzież zbyt ekstrawagancka,
obsługa zaś arogancka.

Dnia pewnego w sklepu progach
stanął znany w mieście bogacz –
chart afgański, medalista,
słynny czempion wielu wystaw.

– Będę gościem honorowym
na wystawie psów rasowych.
Szukam czegoś specjalnego,
czegoś nietuzinkowego

Pudle się po sklepie kręcą,
proponując lekko wciętą
marynarkę atłasową,
kaszmirowy szal na ogon.

W butonierce srebrny dzwonek
(najmodniejszy w tym sezonie),

a na głowę zmięty worek.

Chart szczęśliwy odparł: – Biorę!

Pudle teraz myślą skrycie:
„Ten odmieni nasze życie.
Gdy zobaczy go elita,
do butiku wnet zawita".

Po trzech dniach od zdarzeń owych
stanął nagle w drzwiach sklepowych
chart afgański – zły okrutnie.
Wściekły warczy, wszczyna kłótnię:

– DAŁEM Z SIEBIE ZROBIĆ BŁAZNA!

Ja, persona taka ważna!
Strój wasz wszyscy wyśmiewali,
łapą mnie pokazywali.

Z marynarki, dzwonka – drwiono!
Ciągle zdjęcia mi robiono.
Po co ja wam zaufałem?!
Chyba rozum postradałem.

– Kiedy to nie nasza wina –

pudel z pudlem tkać

– tylko mody – ta co chwilę
zmienia trendy, zmienia style.

Wkrótce pudle splajtowały,
przestał istnieć butik mały.
Po miesiącu wraz z kotami
otworzyły sklep z wannami.

zaczyna

ZAMKNIETE

Lecz, niestety, w tym sezonie

to nie było w dobrym tonie...

MLEKO

Zapytał koń krowę nad rzeką:

– Nigdy nie piłam, a pan?

– Wolę jeść trawę i zboże.
Ja mleko, proszę pana,
daję – nie piję go sama.

– Ach! Z nimi tylko udręka!
Przez koty głowa mi pęka.

– Koty chcą wiecznie mleka.
Jestem już tym zmęczona!

– Czy pani pija mleko?

– Owszem, ja smak mleka znam.
Gdy byłem małym konikiem,
mama karmiła mnie mlekiem.
A pani pić mleka nie może?

– No tak, słyszałem o tym,
mówiły mi wczoraj koty.

– Cóż pani tak narzeka?

Odrzekła krowa do konia,
po czym machając ogonem,
odeszła w inną stronę.

Zarżał koń dość nerwowo:

– **Przewraca się w głowach tym krowom!**

KURZA BITWA

Kłóciły się kury tuż nad balią starą,
co lepsze w rosole – ryż czy też makaron.
Najwyższa z kur rzecze: – Ryż jest doskonały,
gdy pływa w rosole, malutki i biały.

– Och nie! Ryż w rosole, to jakaś pomyłka! –
oburza się na to od razu kur kilka.
– W tej zupie ma prawo być tylko makaron!
Rosół z makaronem od zawsze był parą.

– A ja się nie zgadzam! – gdacze kura mała –
Z ryżem rosół lepszy, wiem, bo próbowałam.

– CO, CO, CO? ᴋᴏ, ᴋᴏ, ᴋᴏ? – słychać kurze wrzaski –
nie ryż, a makaron i to cięty w paski!

Kury kłócą się, gdaczą, stroszą swoje pióra,
w nerwach krzyczą, nie wiedząc, za czym była która.
Kogut patrzy na kury, oczom swym nie wierzy,
takiej kłótni o rosół, jak żyje, nie przeżył.

Już zaczęły się dziobać, drapać i wzlatywać.
Roz**pę**t**ała się bi**tw**a** o rosół prawdziwa.

Ryżu lub makaronu w rosole broniły,
a w najbliższą niedzielę,
same w nim skończyły.

Burza

Mówi arbuz do arbuza

– Słuchaj, bracie, będzie burza,

czuję to w swych okrągłościach,

tak jak ludzie czują w kościach.

Ledwie wyrzekł słowa te,

burza błyskiem niebo tnie.

W mgnieniu oka, w jednej chwili,

wszyscy naraz mokrzy byli.

Ktoś zawołał: – Kryj się, Bogdan! –
ktoś herbatę wypił do dna,
ktoś w panice chował pranie,
ktoś przed burzą skrył się w bramie,
ktoś się z ktosiem pocałował
(potem tamten ktoś żałował),
prędko ktoś zamykał okna,
ktoś przez deszcz się z kimś nie spotkał.

Ktoś nie dostał SMS-a,
komuś loki deszcz rozczesał,
ktoś w swe usta nabrał wody,
inny **ktoś** już liczył szkody,
przemókł **ktoś** do nitki suchej.
– Burza! – krzyknął **ktoś** do głuchej,
ktoś w kałużę wielką wszedł,
a **ktoś** inny do niej wbiegł.

Nagle przestał padać deszcz,
burza gdzieś zniknęła też.

Do arbuza arbuz mówi:
– Nie rozumiem wcale ludzi.
Trochę deszczu popadało,
nic nikomu się nie stało,
a tu popłoch, proszę brata,

jakby to był koniec świata...

19

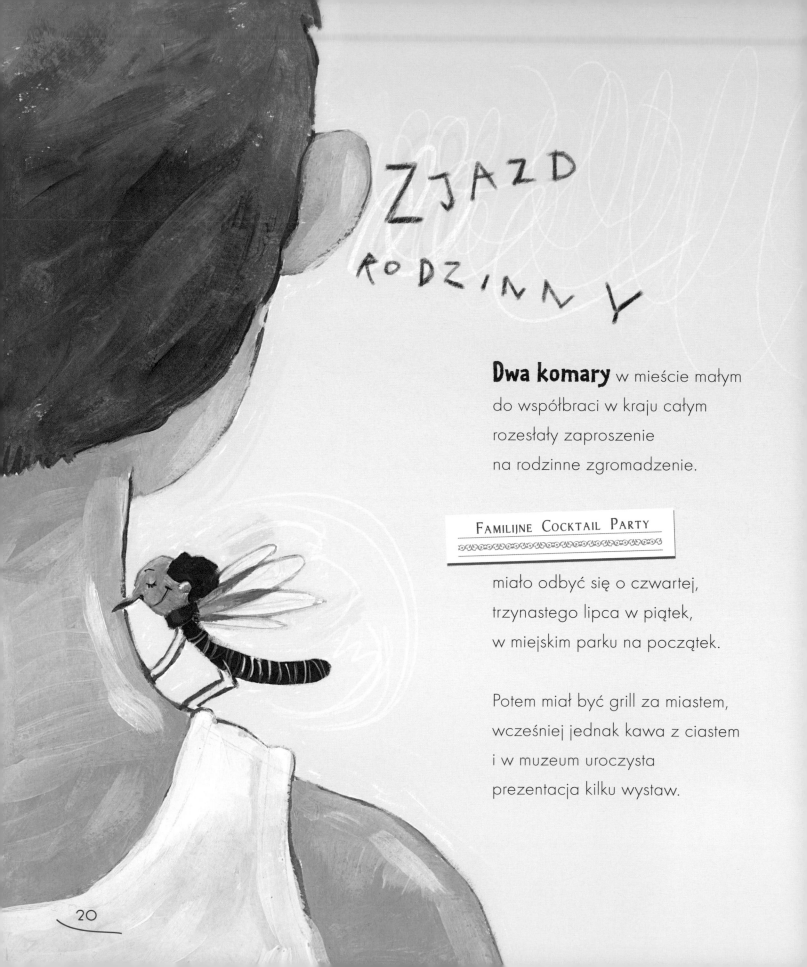

ZJAZD RODZINNY

Dwa komary w mieście małym
do współbraci w kraju całym
rozesłały zaproszenie
na rodzinne zgromadzenie.

FAMILIJNE COCKTAIL PARTY

miało odbyć się o czwartej,
trzynastego lipca w piątek,
w miejskim parku na początek.

Potem miał być grill za miastem,
wcześniej jednak kawa z ciastem
i w muzeum uroczysta
prezentacja kilku wystaw.

Dwie z nich były o komarach,

pod tytułem: **Komar w szparach**

Dwie natomiast o pająkach –
tytuł ich to: „Pająk w pąkach".

Następnego dnia, w sobotę,
lot przez miasto. Zaraz potem
odwiedziny u burmistrza,
księdza, szewca, zegarmistrza.

Później obiad w restauracji,
wolny czas aż do kolacji,
po czym koncert o północy,
który miały dać im koty.

A w niedzielę w auli szkolnej

odczyt: **KOMAR** w kwestii rolnej
W końcu czułe pożegnanie,
wspólne zdjęcie przed rozstaniem.

Trzynastego lipca rano
pierwsze grupy już widziano.
A o czwartej, minut siedem,
czarno było wprost na niebie.

Przylecieli wszyscy krewni –
bliżsi, dalsi i niepewni.
Starsi, młodsi, ci bez wieku,
część z czekami, część bez czeku.

Z bagażami, z dziećmi, sami,
bez sąsiadów, z sąsiadami.
W grupach i indywidualnie,
a nad miastem coraz czarniej!

Wśród mieszkańców strach, panika,
każdy okna, drzwi zamyka.
– krzyczą – Z nami koniec!
– Na policję niech ktoś dzwoni!

Donosiły zewsząd media,

– Plaga!

że **ZDARZYŁA SIĘ TRAGEDIA,**
że **KOMARY ATAKUJĄ,**
NIE WIADOMO, CO SZYKUJĄ.

w **telewizji**, w Internecie,

w miejskim radio i gazecie,

wszędzie mówią o komarach,

których w mieście taka chmara.

Trzy dni trwało poruszenie,

a komary niewzruszenie

odbywały zjazd rodzinny –

uroczysty i... niewinny.

Po czym, tak jak było w planie,

odleciały roześmiane.

Bo za rok, w tym samym mieście,

znów się zlecą jednocześnie.

Znudzona mucha

Nudziła się mała mucha
listopadową porą.
Za oknem jesienna plucha –
że aż muchę dreszcze biorą.

Lata po całym mieszkaniu,
szczęśliwa, że nie moknie,
ludziom przeszkadza w sprzątaniu,
bo nudzi się okropnie.

Podjadła trochę okruchów,
do szklanki dała nurka,
długo leżała na brzuchu,
śpiąc w kokosowych wiórkach.

Zajrzała do butelki
po wodzie mineralnej:
świat **wydał jej się wielki,
a życie** takie marne.

Lecz dzień się strasznie dłuży,
znudzoną muchę nuży.
Czas w ogóle nie chce płynąć,
od nudy można zginąć.

Huśtała się na lampie,
ogrzała przy żarówce,
kichnęła na firankę,
skakała po poduszce.

Stanęła też na głowie,
zrobiła trzy fikołki,
przerwała lot w połowie,
dostała bowiem kolki.

Wraz z ludźmi obejrzała
serial w telewizorze,
pod nosem wciąż bzyczała,
bo była w złym humorze.

Choć się listopad kończył,
to się tym nie cieszyła.
Myśl jedna spokój mąci –
że przed nią jeszcze zima.

Pod wieczór załamana,
w nastroju dość nieznośnym,
przed snem cicho wzdychała
mówiąc: – Aby do wiosny...

Kruk z Krakowa

Kruk z [Krakowa], wraz z kruczycą
zachwycili się stolicą.
Odwiedzając swego brata,
kruk po prostu się rozpłakał:

> Jakaż piękna jest Warszawa!

Tłumy ludzi, zgiełk i wrzawa.
Długie sznury samochodów
nieustannie rwą do przodu.

Ścisk w tramwajach, na ulicy,
tu ktoś woła, tam ktoś krzyczy.
Życiem tętni miasto stale.
Ach! Czyż nie jest to wspaniałe?

Resztę życia tutaj spędzę,
z mą kruczycą latał będę
na dach Zamku Królewskiego
albo Dworca Centralnego.

WARSZAW

26

Każdy plac i każdą wieżę,
każdy miejski park odwiedzę.
Mosty, ronda, skrzyżowania –
ileż rzeczy do zwiedzania!

Pożegnały z lotu ptaka
dom i krewnych w mieście Kraka
i przeniosły do Warszawy
wszystkie swoje krucze sprawy.

**Choć w stolicy rok mieszkają,
to wciąż Kraków wspominają:**

– Ech! Inaczej tam czas płynie,
hejnał grają co godzinę.
Ptaki dla nas respekt miały,
zawsze pierwsze się kłaniały.

Wszędzie można kupić precle,
z makiem, z solą, jakie kto chce.
Wpaść na chwilę do Sukiennic,
gdy na polu już się ściemni.

Wraz z wycieczką zwiedzać Wawel
i na rynku wypić kawę.
Lub przejechać się dorożką
i kiełbasę zjeść krakowską.

Cóż, wracamy do Krakowa,
Nic tu po nas, szkoda zdrowia.
Już na pamięć miasto znamy,
więc stolicę opuszczamy.

– Jednak tam się żyje szybciej,
prężniej, głośniej, dynamiczniej.
Kraków dla nas jest za mały –
dłużej tu nie wytrzymamy.

Nam potrzeba wrażeń, ruchu.
Taka jest natura kruków.
Szkoda czasu, tak czy owak,
wynosimy się z Krakowa.

**A po roku, może dwóch,
o Warszawie myślą znów:**

I od lat już kilkunastu
zamieszkują jedno miasto,
tęskniąc w nim za miastem drugim.
Każdy ptak już o tym mówi.

Raz chcą żyć tam, a raz tutaj,
nie wiadomo, gdzie ich szukać.
W końcu Kruk zaapelował,
by połączyć miasta oba.

Lecz się władze nie zgodziły.
Wszem i wobec ogłosiły:
**– Nigdy to się nie wydarzy,
proszę przestać o tym marzyć.**

Tak więc kruki podróżują,
żadnych zmian nie oczekując.
Wciąż przenosząc się od nowa
do Warszawy lub Krakowa.

Złe krasnale

Do dziewczynki nocą stale
przychodziły złe krasnale.
Nie wiedziały co tu zrobić,
aby dziecku w śnie przeszkodzić.

Szeptem snuły jej do ucha,
opowieści o złych duchach.
Włosy często kołtuniły,
dżemem ręce jej brudziły.

Albo siedząc pod poduchą,
udawały, że są muchą.
Udawały też **komara**,
który ugryźć chce ją zaraz.

Jeża, który walczy z pchłami,
wystukując rytm kolcami,
biegającą **mysz** pod łóżkiem,
zagubioną w kołdrze **mrówkę**
albo cichy **kaszel żuka**,
który chustek w szafie szuka.

Czasem stopy łaskotały,

najzwyczajniej w nos się śmiały
lub na pięciu ręki palcach
wirowały w rytmie walca.

Kołdrę często tarmosiły,
po pokoju się goniły,
lecz gdy zbliżał się już świt,
te musiały znikać w mig.

Bezskutecznie, lata całe,
przychodziły złe krasnale,
by nabroić, by nabrudzić,
by wystraszyć ją i zbudzić.

A dziewczynka smacznie spała,
niczym się nie przejmowała.

W końcu same się poddały,
widać straszyć nie umiały.
Teraz nudzą się nocami –
tak to bywa z krasnalami.

SZARA MYSZ

Szarą mysz na ulicy proszono o wywiad.

Zapytano w wywiadzie, czy w teatrze bywa.

– Owszem, bywam dość często – powie tonem pewnym. –

Mieszka tam ma rodzina oraz wielu krewnych.

– Jak to mieszka? – zapytał redaktor łasica.

– Dla nas myszy to nie jest zbyt wielka różnica.

Mieszkamy w filharmonii, innym razem w sklepie,

w muzeum, w magazynie: tam, gdzie jest nam lepiej.

– Skąd więc pomysł na teatr? – Och! Ach! – Mysz pisnęła –

Ojciec mój i mój wujek uwielbiają teatr.

Często chodzą na próby, są na przedstawieniach,

bywają na premierach – ich życie to scena.

Chociaż sama już dawno nie mieszkam w teatrze,

odwiedzając swych krewnych, na spektakle patrzę

i mam wtedy dylemat, w domu czeka mama,

gdy tymczasem na scenie, rozgrywa się dramat.

Błąd popełniam, wiem o tym, lecz to jest silniejsze,
zwłaszcza jeśli to sztuka, w której mówią wierszem.

Ciotki złoszczą się na mnie, moja mama krzyczy:

– Nawet na własną córkę, już nie mogę liczyć!

Pomyśl o tym, do kogo przychodzisz i po co!
Na spektakl, czy do matki przybywasz z pomocą.
Z twego ojca i wuja nikt pożytku nie ma,
dla nich nic się nie liczy, tylko przedstawienia.

Też poszłabym na spektakl, siadła w pierwszym rzędzie,
ale kto za mnie w domu prać, gotować będzie?!
Wiem, że matka ma rację i słusznie mnie gani.
Wychodząc do teatru, biję się z myślami.

Z jednej strony się cieszę, mam spotkać rodzinę,
z drugiej martwię, gdyż wtedy spektakl mnie ominie.
Gdzie mam być albo nie być – oto jest pytanie,
które dręczyć mnie, zżerać nigdy nie przestanie.

Zaskoczony wyznaniem redaktor łasica
na odchodnym mysz szarą o coś jeszcze spytał:

– Przepraszam, dokąd teraz pani się wybiera?

– Cóż, idę na „Hamleta” –
dzisiaj jest premiera!

Dwie
papugi

Dwie papugi,
        dwie pleciugi,
plotkowały **jedna drugiej**.

– Tylko słuchaj, moja droga,
charta poślubiła krowa!
Na urlopie bóbr z bobrową
potargali torbę nową.
W Pradze aktor dramatyczny
zrobił trapez elektryczny.
Krytyk trend ten skrytykował,
praski teatr zastrajkował.

Dwie pleciugi,
        dwie papugi,
plotkowały, **jak dzień** długi.

Nawet nocą **plotkowały**,
żyć bez **plotek** nie umiały
– Halo Aro, Aro halo?
Szczur ze szczurem będzie parą!
Piosenkarka Rena Radley
nie skończyła szkoły żadnej.

Kret na korcie grał na trąbie,
krawiec skroił kurom spodnie.
Reklamując Porto gepard,
wraz z produktem owym przepadł.

Dwie papugi,
        dwie pleciugi,
plotkowały **jedna drugiej**.

Pokaz projektanta mody
przerwał nagle goryl młody.
Tramwaj trącił terapeutę,
rozsypując kartek stertę.

Już się prawie nie słyszały,
ale nadal **plotkowały**,
coraz ciszej, coraz wolniej,
od tych **plotek** nieprzytomne.
Obie wyzionęły ducha,
ale kto, by o tym słuchał.

Plotkowały bez wytchnienia,
plotły bez zastanowienia.
Nic nie piły, nic nie jadły,
z wyczerpania w końcu padły.
Lecz w ostatniej swej godzinie
dalej **plotły** – o rodzinie.
Jeszcze resztką swoich sił
omawiały zimę zim
i że czasy teraz gorsze,
żubr przedwczoraj wygrał porsche.

SŁONICA

Wymyśliła raz słonica,

że **zawyje** do księżyca,

chociaż wiem i ja, i ty,
że do niego wyją psy.

Tak, jak sobie wymyśliła,
nocą trąbą swą zawyła.
Psy zdębiały, księżyc zbladł,

z
przerażenia
prawie
spadł.

Wszyscy się zbudzili naraz,
myśląc, że to dźwięk na alarm.
„Pewnie stanął w ogniu las!
Uciekajmy póki czas!"

A słonica pomyślała:
„Jestem boska, doskonała,
nagram płytę, przecież szkoda,
by się talent mój marnował."

Poszukała w ZOO sponsora
i nagrała ją z wieczora.
Po czym płytę podpisaną
księżycowi słała rano.

Lecz ten zwrócił prezent ów,
kreśląc przy tym kilka słów:

„Bez ogródek, powiem sucho,
słoń nadepnął Ci na ucho.
Lepiej niech już wyją psy,
jeśli muszą, a nie Ty!"

Obraziła się słonica.
Wyć przestała do księżyca.

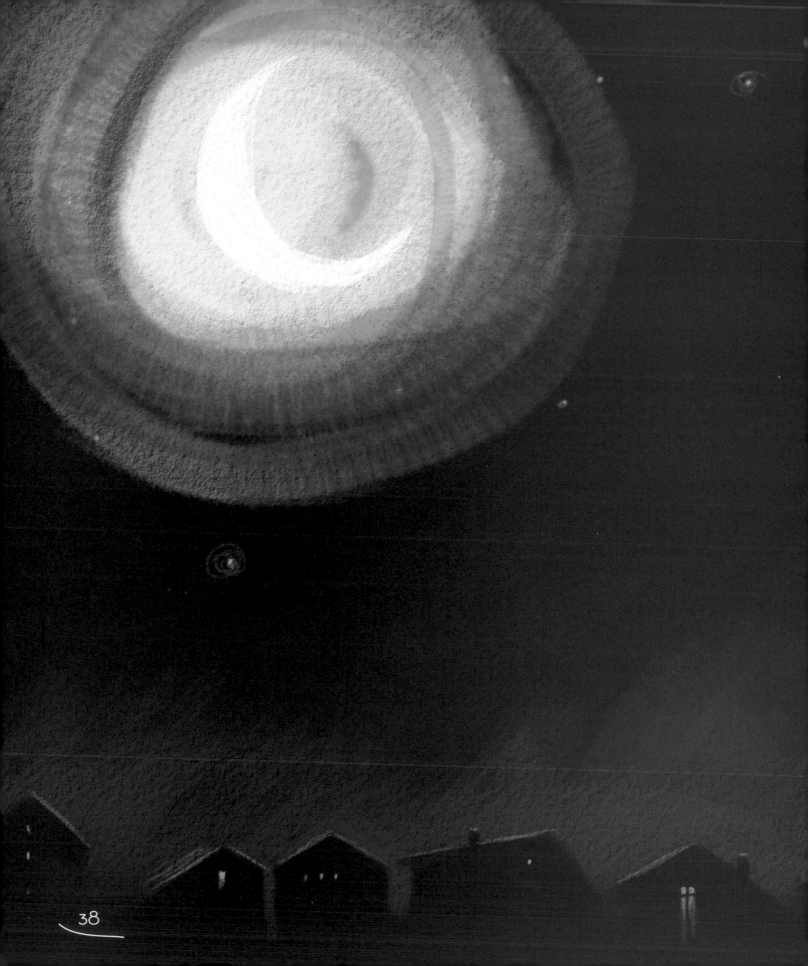

– Jak on w ogóle mnie traktuje!
Wokalistki się szanuje!
Nie krytyki chcę, lecz braw,
jestem przecież sławą sław!
Przesłuchałam moją płytę,
wycie jest tam znakomite!
A ten księżyc mą karierę
najbezczelniej równa z zerem!

I w pretensjach napisała
liścik, który mu przesłała:

Nie potrafisz z gwiazdą żyć,
więc do słońca będę wyć!

Lecz czy wyła słońcu z rana?
Tego nie wiem, proszę pana.

Rejs po Nilu

Trzy wielbłądy spod Kairu
wykupiły rejs po Nilu.
Miały dość pustynnych piasków,
chciały teraz żyć na statku.

Lecz w wielbłądy boli głowa,
o to, co na rejs spakować.

Wziąć ze sobą płetwy, rurę,
maskę, w której pływa nurek?
Wędkę może wziąć lub sieć?
Coś na pewno trzeba mieć!

Może trzeba wziąć kalosze,
do ręcznego prania proszek,
aspirynę na ból głowy,
w kratkę zeszyt stukartkowy?

Książki, klucze od mieszkania,
Mapy, szczotkę do czesania,
namiot na wypadek wszelki,
ciepły pled, by okryć nerki.

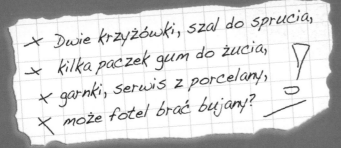

Dwie krzyżówki, szal do sprucia,
kilka paczek gum do żucia,
garnki, serwis z porcelany,
może fotel brać bujany?

Nie są w stanie zdecydować,
co na taki rejs spakować.

Pierwszy wielbłąd chciał wziąć rower,
drugi piłkę do gry w nogę.
Trzeci chciał wziąć beczkę z dżinem,
bez niej Nilem nie popłynie.

Myślał jeden z nich o grzałce,
o lokówce, o wiertarce.
o tym, by wziąć wiolonczelę
(grywać na niej chce w niedzielę).

Spakowały płaszcze, dywan
okno, w którym pękła szyba,
słój ogórków konserwowych,
karton wafli kakaowych.
Stertę gazet, stare listy,
budzik, termos, ręcznik czysty,
kilka strusich jaj na twardo
zabrał wielbłąd z grubą wargą.

Stwierdzić jednak nie są w stanie,
czy są dobrze spakowane.

Jeszcze sobie przypomniały
o tym, czego zapomniały.
A więc:

Telefony komórkowe,
kamizelki ratunkowe,
jeszcze to i jeszcze tamto.
Wino rosso wziąć czy bianco?

A gdy wreszcie spakowały
wszystkie rzeczy, które chciały,
dość spóźnione, z mnóstwem siatek,
waliz, przyszły wsiąść na statek.
Statku jednak już nie było,
bez nich dawno w rejs odpłynął.

Trzy wielbłądy boli głowa.
Jak to teraz rozpakować?

Nie

NIE

Nie

Nie

NIE

nie

Mała małpka z Santa Fe
wciąż mówiła słowo: „NIE".

- Zjesz banana? - pytał tato.
- Nie - odpowie małpka na to.
- Pomarańczę może zjesz? -
Małpka kręci głową: „NIE".

Nie

- Będziesz dzisiaj prysznic brała? -
mama małpkę zapytała.
- Może chcesz wykąpać się?
- Nie! - krzyknęła małpka - NIE!

Prosił tato: - Czapkę włóż,
zimno jest na dworze już.
Mama woła: - Błagam cię!
Małpka rzekła do nich: „NIE!"

Kiedy o coś ją proszono,
coś kazano, tłumaczono,
ona wcale nie słuchała
i odpowiedź jedną miała.

Nie

Nie

Nie

NIE nie

Nie

Nie

Niedaleko mieszkał ptak,
który zawsze mówił: „TAK".
Miał poradnię, tuż za rogiem,
był cenionym psychologiem.

Umówili się rodzice
do poradni na wizytę,
ale małpka nie chce iść,
ptak psycholog musiał przyjść.

Przyjrzał jej się dość wnikliwie,
Po czym spytał podejrzliwie:
– Nie jest ci z tym małpko źle,
że bez przerwy mówisz: „NIE"?

Wiesz, że są też inne słowa,
których możesz potrzebować?
Warto byś poznała je.
Małpka jemu na to: „NIE".

Nie

Nie

Tak?

Nie

Nie

nie

Nie

Nie

Nie

Nie

Nie

Tak

Tak

Nie

Tak

46

Matka z ojcem załamana,
bo terapia nieudana.
Co tu robić? Któż to wie?
Zawsze będzie mówić: „NIE".

– Mam już pomysł – rzekł ptak na to –
mój przyjaciel aligator
ma kłopoty z telefonem,
wiecznie ktoś do niego dzwoni.

Mylą jego numer z biurem,
które palmy transportuje.
Kiedy zapytają cię,
– Biuro? – powiesz wtedy: „NIE!"

nie

Będziesz zawsze „NIE" mówiła.
Możesz smutna być, niemiła,
nikt nie musi lubić cię.
chcesz do niego pójść, czy nie?

Nie

Tak

Nie

Tak

Tak

Nie

Tak

Aligator jest zmęczony,
(nie ma dzieci ani żony),
ty, choć nie znasz innych słów,
bardzo byś pomogła mu.

Tak

– NIE! – krzyknęła małpka znowu –
ja chcę zostać w swoim domu!
– Dobrze słyszę? – spytał ptak.
Małpka na to rzekła: „TAK!"

nie

Od tej chwili małpka mała,
Mówić słowo „NIE" przestała.
Skąd ta zmiana? Czy ktoś wie?
Może TAK, a może NIE.

Nie

Tak

Gad

**Pewien gad w długi wpadł
i obmyślał, jak dzień długi,
jak tu spłacić swoje długi:**

„Wiem, pożyczę od bociana,
żeby żabom oddać z rana.
Bocianowy dług pokryję,
prosząc o pożyczkę żmiję.

Oddam żmii, gdy pożyczę
coś od raków, na co liczę.
Potem pójdę do skorpiona,
do pożyczki go przekonam,
zaciągając taki dług,
abym raki spłacić mógł.

Będę winien skorpionowi,
więc poskarżę się żółwiowi.
Ten na pewno coś pożyczy,
bo mi nigdy źle nie życzył.

I tak trafi do skorpiona
kwota wcześniej pożyczona.
Tym sposobem zmniejszę długi,
a chcąc spłacić kredyt żółwi,
z prośbą zwrócę się do ryb –
zawsze pożyczają w mig.

Rybom ich należność oddam,
gdy pozwoli na to kobra,
bowiem od niej parę groszy
wezmę, aby ryb nie spłoszyć.

Kobrze zwrócę, prosząc kraby,
potem znów ubłagam żaby,
by przyznały nowy kredyt.
Krabie długi spłacę wtedy.
Lecz co żabom oddać mam?
Tego to już nie wiem sam.".

**Znowu gad w długi wpadł
i obmyślał, jak dzień długi,
jak tu spłacić swoje długi:**

„Może ich nie spłacać wcale?
Ukryć się w wapiennej skale,
rozpowiedzieć, że choruję,
że w tym kraju źle się czuję.
Że duchota mi doskwiera,
melancholia serce zżera,
że na góry mam alergię,
dobrą tracę tu energię,
chcę zamieszkać w miejskim ZOO.
Tylko czy uwierzą w to?

Albo kuzynowi w darze
całość długów swych przekażę.
Bądź też część ich ofiaruję
pani, z którą mieszka wujek.

Lub ogłoszę się w gazecie
albo lepiej – w Internecie:

Do:	WSZYSCY
Od:	GAD

W bardzo atrakcyjnej cenie
sprzedam długi lub zamienię
swoje długi na ich brak.

Podpisano: Pewien Gad.

Zamiast swoje długi spłacać,
w czym pomogłaby mu praca,
on rozmyślał noc i dzień,
jak rozwiązać problem ten.

Od rozważań owych schudł,
już nie jadał nawet much
i po wielu myśli trudach
w końcu gad utonął w długach.

Kredyt, który miał u żab,
odszedł z nim na tamten świat.

Pani Krysia

Mieszkająca w Nysie Krysia

zakochana była w ptysiach.

Męża swego oraz dzieci
wysyłała po pakiecik
słodkich ptysi ze śmietaną,
które jadła co dzień rano.

Jadła ciastka te na obiad,
podczas pracy, w trakcie obrad,
na ulicy i w urzędzie,
jednym słowem jadła wszędzie.

Było dawno po kolacji,
gdy dostała palpitacji.
Rzecz się wydarzyła z nagła,
Krysia wtedy ptysia jadła.

Tak znalazła się w szpitalu.
Mąż i dzieci pełni żalu
przyszli do niej w odwiedziny,
a ta krzyczy do rodziny:

– Gdzie są ptysie ze śmietaną?!

– Dosyć tego, przestań mamo!

Od tych ciastek przecież zginiesz! –

zawołali córka z synem.

Krysia na to: – Jeść je muszę!

– Spójrz na siebie, na swą tuszę –

szepnął mąż i zaczął płakać.

– Powiedz czemu jesteś taka?

Ale ona nie słuchała

i po wyjściu ze szpitala,

poszła do cukierni 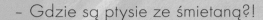 EDEN ,

by zjeść na raz ptysi siedem.

Wprost sposobu nie ma na nią.

Wciąż je ptysie ze śmietaną.

Mąż wymyślił chytry plan:

– Chyba sposób na nią mam!

Do „Edenu" na rozmowę

pognał prędko samochodem.

Mistrz cukiernik go wysłuchał,
drapiąc kota koło ucha.
Po namyśle rzekł spokojnie:
– Wypowiemy Krysi wojnę.

Następnego dnia w „Edenie"
wśród piekarzy poruszenie.
Głośno o czymś dyskutują,
swej klientki oczekując.

Ona, tak jak zwykle, z rana
do cukierni biegnie sama
kupić ciastek blachę całą –
nigdy nie ma ich za mało.

Nagle rozległ się wrzask Krysi:
– Ludzie, nie ma moich ptysi!
Rety, ptysi już nie pieką?! –
Krzyk ten w miasto niosło echo.

– To jest zmowa, to jest spisek!
Ja w gazecie to opiszę!
Skargę do urzędu poślę!
Gdzie są ptysie me najdroższe!

– Przestaliśmy piec te ciastka –
mistrz odezwał się znienacka.
– Proszę na nas już nie liczyć,
tu nie kupi pani ptysi

– Jeść je muszę, czy pan słyszy?!

– rozsierdzona Krysia krzyczy.

Mistrz był jednak nieugięty.
Nie pomogły nic lamenty,
nie pomogły nic błagania –
mistrz nie zmienił swego zdania.

„Wiem, co zrobię" – pomyślała,
po czym prędko spakowała
kilka rzeczy do walizki,
zostawiając krótki liścik.

– Jadę do innego miasta,
w którym pieką moje ciastka –
słodkie ptysie ze śmietaną.

Wprost sposobu nie ma na nią!

Tak przez owe ciastka ptysie,
Krysia już nie mieszka w Nysie.

Słodki drań

Pewien pan – Słodki Drań,
słabość miał do pięknych dam.
Gdy zobaczył piękną damę,
zaraz serce tracił dla niej.

Słał bukiety, czekoladki,
sam się wpraszał na obiadki.
Gdy się dama odchudzała –
szklanka wody wystarczała.

Zawsze czysty i wytworny,
elegancki (przy tym skromny),
był na ty z savoir-vivrem,
jednak miał zwyczaje dziwne.

**Kiedy widział obok kota,
przechodziła mu ochota**
na cokolwiek. Trząsł się, pocił,
po czym strzelał w koty z procy.

Pewna piękna dama Ela,
miała kota przyjaciela –
persa zielonookiego,
niebywale przymilnego.

Pech chciał, że akurat Drania,
w stronę Eli serce skłania.
słodko wabił ją, czarował,
wierność, miłość ofiarował.

Po tygodniu do wybranki
poszedł na maślane grzanki.
Kupił bukiet róż bordowych,
torbę dropsów kakaowych.

Ela pięknie uczesana
już od progu wita Drania.
Lecz ten zaczął trząść się, pocić,

widząc kota, szukał procy.

Pers przygląda się, przymila,
słodko miauczy, ogon zwija,
robi różne śmieszne miny –
żal Draniowi tej kociny...

Po tem głaszcze go i drapie,
czule pieści na kanapie.
Do jedzenia daje grzanki,
razem z kotem drze firanki.

Nie wie, skąd ta nagła zmiana,
ale wchodzi do mieszkania,
wręcza Eli kwiaty, dropsy,
z kotem plecie coś trzy po trzy.

Damę Elę to zdziwiło,
a po chwili – rozzłościło.
Widząc kota razem z Draniem,
rzekła: – Opuść me mieszkanie!

Co ty robisz? Oszalałeś?!
Nie do kota przyjść tu miałeś,
ale do mnie. Żegnam pana!
Nie chcę być tak traktowana!

Drań się Elą nie przejmuje,
na odchodnym wykrzykuje:
– Dziś spotkałem przyjaciela,
na co mi więc dama Ela!

Ta nim się zorientowała,
persa w domu już nie miała,
bowiem kot wraz z Draniem Słodkim,
poszli sobie gdzieś na plotki.

Z czasem Drań miał kotów mnóstwo,
w sercach dam zaś wiało pustką.

Spinacz

Co robi biurowy spinacz?

Na przykład kartki spina.
Na przykład w brudnopisie,
schowa się pośród liter.

Albo w szufladę biurka

gdzie wzdycha wieczorami
do pudła z pieczątkami.
albo w teczkę mocno wpięty,
oddziela dokumenty,
bo nade wszystko spinacz
porządek lubi trzymać.
Albo też lubi zasnąć
na biurku, w sufit patrząc
i myśląc tak sobie czasem,

jak dobrze być spinaczem...

daje głęboko nurka,

WYLICZANKA

Szły raz drogą **dwie biedronki**.
Szły, szukając polnej łąki.
Tak się z sobą pokłóciły,
że swe kropki pogubiły.

Szły tą drogą **dwa komary:**
jeden duży, drugi mały.
Tak zaczęły nagle kichać,
że w Bytomiu było słychać.

Szły tą drogą **DWA PAJĄKI**.
Szły, by kupić żytniej mąki.
Idąc, wciąż się tylko śmiały
i o mące zapomniały.

Szły tamtędy **dwa motyle**.
Zatrzymały się na chwilę.
Rozejrzały się dokoła,
choć za nimi nikt nie wołał.

Szły raz drogą **dwa ślimaki**,
żeby spotkać rzeczne raki.
Szły już od samego ranka,

taka to jest wyliczanka.

© **Tekst:** Jakub Przebindowski
© **Ilustracje:** Marcin Piwowarski
Redakcja: Marcin Malicki
Skład i łamanie: Bernard Ptaszyński

Wydawca: Book House Sp. z o.o. 2008
www.bookhouse.com.pl
tel. 022 886 44 27, fax 022 886 44 01

Druk: Legra Sp. z o.o.